D1578820

QUE SAVOIR SUR
L'ESTIME DE SOI
DE MON ENFANT?

Éditions du
CHU Sainte-Justine

Catalogage avant publication de Bibliothèque et Archives nationales du Québec et Bibliothèque et Archives Canada

Duclos, Germain

Que savoir sur l'estime de soi de mon enfant?

(Questions/réponses pour les parents)

ISBN 978-2-89619-132-1

    1. Estime de soi chez l'enfant - Miscellanées. 2. Confiance en soi chez l'enfant - Miscellanées. 3. Habiletés sociales chez l'enfant - Miscellanées. 4. Enfants - Psychologie - Miscellanées. 5. Parents et enfants - Miscellanées. I. Titre.

BF723.S3D82 2008   155.4'182   C2008-941230-3

Conception de la couverture: Quatuor
Conception graphique: Nicole Tétreault
Photo de la page couverture: Claude Dolbec
Photos intérieures: Nancy Lessard

Diffusion-Distribution:
        au Québec – Prologue inc.
        en France – CEDIF (diffusion) – Daudin (distribution)
        en Belgique et au Luxembourg – SDL Caravelle
        en Suisse – Servidis S.A.

Éditions du CHU Sainte-Justine
3175, chemin de la Côte-Sainte-Catherine
Montréal (Québec) H3T 1C5
Téléphone: (514) 345-4671 • Télécopieur: (514) 345-4631
www.chu-sainte-justine.org/editions

© Éditions du CHU Sainte-Justine, 2008
    Tous droits réservés
    ISBN: 978-2-89619-132-1

Dépôt légal: Bibliothèque et Archives nationales du Québec, 2008
             Bibliothèque et Archives Canada, 2008

La Fondation de l'Hôpital Sainte-Justine remercie les généreux donateurs qui ont contribué au projet *UniverSanté des familles* et qui ont permis de réaliser cette nouvelle collection pour les familles.

Merci d'agir pour l'amour des enfants!

Sommaire

Définition et caractéristiques de l'estime de soi

Favoriser un sentiment de sécurité et de confiance

Favoriser la connaissance de soi

Favoriser un sentiment d'appartenance

Définition et caractéristiques
de l'estime de soi

▶ L'estime de soi, est-ce important ?

Toute personne ressent le besoin de percevoir qu'elle a une valeur intrinsèque, indépendamment de son apparence, de ce qu'elle possède sur le plan matériel et de ses performances. Chacun perçoit intuitivement l'importance de l'estime de soi ; pour être heureux, il faut s'estimer. L'évaluation qu'on a de soi-même doit être acceptable. Un sentiment de nullité quant à sa valeur personnelle signifie que sa vie n'a pas de sens.

Chaque personne se fait donc une idée d'elle-même et, au fil de ses expériences, se forge une image qui varie considérablement dans le temps. Ce portrait de soi-même change tout au long de la vie. Il continue toujours à se modifier, même à 80 ans.

▶ Quand et comment se développe l'estime de soi ?

Favoriser l'estime de soi, cela consiste essentiellement à accompagner ou à guider les enfants et les adolescents dans leur vie affective, sociale, intellectuelle et morale. Les premières années revêtent une grande importance ; elles sont, en quelque sorte, le fondement psychique de l'être humain.

De nombreuses recherches démontrent que la période de l'attachement entre le tout-petit et ses parents est fondamentale dans le développement psychique. Elle constitue le noyau de base de l'estime de soi. Ce premier sentiment d'une valeur personnelle s'enrichit, par la suite, de réactions de l'entourage qui confirment à l'enfant ses forces, ses qualités et ses réussites.

Finalement, il est essentiel de souligner que tout enfant se sent estimé s'il a une relation de qualité avec les personnes qui comptent pour lui, c'est-à-dire auxquelles il attache beaucoup d'importance. En effet, on ne naît pas avec une image de soi toute faite. Les enfants apprennent d'abord à se voir dans les yeux des personnes qui comptent pour eux : parents, frères et sœurs, enseignants et enseignantes ainsi que camarades.

Le développement de l'estime de soi se fait selon un processus qui doit être alimenté par des moyens concrets et, en priorité, par les attitudes éducatives appropriées. C'est ce qui se produit lorsque les parents et les éducateurs ont une attitude chaleureuse à l'égard des enfants, lorsqu'ils leur accordent toute leur présence et l'attention nécessaire, lorsqu'ils soulignent régulièrement leurs gestes positifs, lorsqu'ils croient en leur capacité de relever des défis et lorsqu'ils évitent les mots qui blessent et les sarcasmes.

▶ Comment définir plus précisément l'estime de soi ?

Les dictionnaires définissent généralement l'estime de soi comme étant un sentiment favorable, né de la bonne opinion qu'on a de sa valeur. L'estime de soi est généralement décrite comme la valeur qu'un individu s'accorde globalement ; on ajoute que cette valeur fait appel à la confiance fondamentale de l'être humain en ses mérites, envers lui-même.

Selon mon point de vue, la définition la plus complète et la plus nuancée de l'estime de soi est celle de Josianne de Saint-Paul. La voici :

« L'estime de soi est l'évaluation positive de soi-même, fondée sur la conscience de sa propre valeur et de son importance inaliénable en tant qu'être humain. Une personne qui s'estime se traite avec bienveillance et se sent digne d'être aimée et d'être heureuse. L'estime de soi est également fondée sur le sentiment de sécurité que donne la certitude de pouvoir utiliser son libre arbitre, ses capacités et ses facultés d'apprentissage pour faire face, de façon responsable et efficace, aux événements et aux défis de la vie. »

L'estime de soi est donc avant toute chose un jugement positif face à soi-même. C'est la conscience de sa valeur personnelle dans différents domaines. Il s'agit, en quelque sorte, d'un ensemble d'attitudes et de croyances qui nous permettent de faire face à la réalité et au monde.

Saviez-vous que...

Plaisir au jeu, plaisir d'apprendre, plaisir à vivre en société, tous ces plaisirs sont importants pour construire l'estime de soi.

▶ Comment l'enfant chemine-t-il vers l'estime de soi?

Comment arrive-t-on à développer l'estime de soi chez un enfant? Le bébé apprend d'abord à connaître son corps dans la chaleur de sa relation avec ses parents et ensuite avec les gens qui prennent soin de lui, grâce aux caresses et aux baisers. Protégé, nourri et caressé, l'enfant se sent bien dans sa peau.

Vers 18 mois, l'enfant entre dans une autre période de sa vie: il bouge, il fouille, il court, mais dorénavant il veut aussi décider, choisir, s'affirmer. Entre 2 et 3 ans, à l'apparition du langage compréhensible, il commence à réclamer son autonomie. Son estime de soi passe par la capacité des parents à le reconnaître comme un individu qui est différent d'eux.

L'enfant continue à grandir. Vers 3 ou 4 ans apparaissent les peurs, les stratégies de séduction et les manipulations. L'enfant désire se rapprocher du parent du sexe opposé et faire preuve d'initiative. Durant cette période, l'enfant, qui n'a pas encore accès au raisonnement logique, a besoin de se mettre de l'avant; il cherche à être valorisé, reconnu.

Estimer veut dire poser un jugement et cela suppose une certaine maturité intellectuelle. C'est donc vers 7 ou 8 ans, avec l'émergence du jugement logique, qu'apparaît l'estime de soi. À partir de cet âge, grâce à l'apparition d'une pensée critique face à lui-même, l'enfant peut faire une évaluation globale de sa valeur personnelle dans chacun des domaines de sa vie (relations avec ses parents, avec ses amis, à l'école…) selon ses critères personnels ou ceux des personnes qu'il juge importantes. Ainsi, l'enfant commence à s'évaluer lui-même et, par ses actes, ses paroles et ses attitudes, il exprime aux autres sa propre estime.

Quand il commence l'école, l'enfant franchit une autre étape. De nouvelles structures mentales l'amènent à porter des jugements logiques et pratiques, à comprendre les règles des jeux, à coopérer en groupe et à vouloir apprendre des choses nouvelles. L'âge scolaire est également un âge où l'image de soi, physique et sociale, s'enrichit de l'image de soi intellectuelle.

Par ailleurs, de plus en plus de personnes portent des jugements sur lui (parents, amis, enseignants, éducateurs de toutes sortes…). Les paroles peuvent blesser et même, à la longue, tuer en dedans « le bon Jonathan » ou « la bonne Sophie ». Les gestes violents et la négligence font aussi un tort immense à l'estime de soi chez les enfants.

Saviez-vous que...

Les parents et les éducateurs doivent absolument tenir compte de la nécessité de développer une bonne estime de soi chez les enfants. De nombreuses recherches démontrent qu'elle est au cœur de la prévention de nombreux problèmes de la jeunesse : décrochage, difficultés d'apprentissage, délinquance, abus de drogue et d'alcool, suicide.

L'adolescence est peut-être le moment le plus important pour consolider une bonne estime de soi. Les changements corporels, les sautes d'humeur, la nécessité de prendre de la distance face aux parents et de trouver son identité propre mettent l'adolescent dans une situation de grande vulnérabilité. Malgré des contacts parfois difficiles, l'adolescent a besoin non pas de notre surprotection, mais plutôt de notre complicité à reconnaître sa valeur et à consolider son sentiment de fierté.

▶ **La qualité des relations que l'enfant entretient avec les adultes influence-t-elle l'estime de soi ?**

L'estime de soi est grandement subordonnée à la qualité des relations qu'un enfant tisse avec les personnes qui comptent pour lui et qu'on dit « significatives ». Ainsi, les propos favorables tenus par un adulte qui a de l'importance aux yeux de l'enfant contribuent grandement à l'existence d'une bonne estime de soi chez celui-ci. À l'inverse, des propos ou des jugements négatifs peuvent détruire l'image que cet enfant a de lui-même. L'attachement, on le voit, est une arme à double tranchant.

Plus l'adulte a de l'importance aux yeux de l'enfant et plus grandes seront sur lui les répercussions d'un jugement positif ou d'un commentaire désobligeant de cet adulte. La qualité des échanges relationnels influence beaucoup l'estime de soi, cette petite flamme qui fait briller le regard lorsqu'on est fier de soi-même.

Or, cette flamme peut facilement vaciller et même s'éteindre si elle est exposée au vent mauvais des sarcasmes et des critiques !

Il ne suffit pas qu'un enfant connaisse de petites réussites pour acquérir une bonne estime de soi. Il en faut plus pour se percevoir de façon positive. C'est là que l'adulte entre en jeu, car il doit souligner les gestes positifs ou les succès de l'enfant et faire en sorte qu'il en conserve le souvenir. En l'absence de réactions constructives, l'enfant ne peut pas prendre conscience de ses réussites ni les enregistrer dans sa mémoire. Il faut donc raviver régulièrement le souvenir de ses réussites. L'estime de soi fonctionne par la mémoire et grâce à elle.

L'estime de soi est donc étroitement reliée à la qualité de la relation avec soi et avec les autres. La valeur que s'accorde une personne n'est pas indépendante de l'estime portée aux gens de l'entourage et, réciproquement, de l'estime portée par l'entourage. L'enfant a besoin que sa propre estime soit validée par les personnes qui comptent à ses yeux : parents, amis, éducateurs et tout adulte significatif.

▸ Comment l'enfant prend-il conscience de sa valeur ?

L'estime de soi dépend en premier lieu des réactions positives des gens ayant de l'importance aux yeux de l'enfant. Ces gens, en soulignant les réussites de l'enfant, le confirment dans sa valeur. La source de l'estime de soi est d'abord extérieure à l'enfant, ou *extrinsèque*.

Dans le développement de l'estime de soi, le plus important n'est pas le fait qu'un enfant pose un geste positif, mais plutôt qu'il se le fasse dire. Par exemple : « Tu as prêté ton jouet à ton copain » ou « Tu as aidé papa à mettre la table ». Il est important que le parent souligne le geste positif en montrant qu'il en est fier. C'est par de telles réactions que l'enfant s'aperçoit qu'il a fait un bon geste. Sans elles, l'enfant n'en serait pas conscient. L'estime de soi s'établit par le processus de conscientisation et celle-ci apparaît par des réactions verbales positives. Les paroles rassurent l'enfant et lui donnent de l'espoir.

En recevant régulièrement des réactions positives, l'enfant intériorise peu à peu une bonne estime de lui-même qui devient *intrinsèque* parce qu'elle est nourrie par un monologue intérieur, c'est-à-dire une conversation qu'il entretient mentalement avec lui-même et dont le contenu est positif.

▶ De quoi est composée l'estime de soi ?

L'estime de soi est faite de quatre composantes : le sentiment de sécurité et de confiance, la connaissance de soi, le sentiment d'appartenance à un groupe et le sentiment de compétence.

Le sentiment de sécurité et de confiance est un préalable à l'estime de soi. Il faut d'abord le ressentir et le vivre pour être disponible à apprendre ce qui est nécessaire pour nourrir l'estime de soi. Il en va autrement des trois autres composantes. On peut stimuler la connaissance de soi, le sentiment d'appartenance et le sentiment de compétence à chaque stade du développement, à chaque période de la vie, par des attitudes éducatives adéquates et des moyens concrets.

▶ Quelles sont les attitudes et les habiletés des enfants qui ont une bonne vision d'eux-mêmes ?

Les enfants qui ont une bonne vision d'eux-mêmes adoptent les attitudes et les habiletés suivantes :

- sécurité et détente ;
- sentiment général de bien-être ;
- sentiment de confiance face aux adultes ;
- capacité de se souvenir de leurs succès ;
- capacité de percevoir leurs qualités et leurs habiletés ;
- sentiment de confiance face à leurs propres capacités ;
- capacité de faire face à des événements nouveaux ;
- motivation face aux nouveaux défis ou apprentissages ;
- persévérance face aux difficultés ;
- capacité de percevoir leurs différences ;
- capacité de percevoir et d'accepter les différences des autres ;
- capacité de se faire respecter ;
- capacité d'affirmation personnelle et d'autonomie ;

- capacité d'initiative ;
- capacité d'imagination et de créativité ;
- capacité de régler pacifiquement des conflits sociaux ;
- capacité de coopération ;
- sentiment de bien-être dans un groupe.

Les enfants ne peuvent manifester toutes ces attitudes et toutes ces habiletés. Toutefois, en favorisant chez eux une bonne estime de soi, ils en viennent plus sûrement à intégrer ces attitudes et ces habiletés.

Saviez-vous que...

L'estime de soi prend naissance dans une relation d'attachement. En effet, toute personne qui s'est senti aimée ou qui se sent encore aimée – même si ce n'est que par une seule autre personne – peut se dire qu'elle est aimable et qu'elle possède une valeur propre.

▶ **Quelles sont les attitudes parentales favorables et défavorables à l'estime de soi?**

Attitudes favorables	Attitudes défavorables
Être présent de façon chaleureuse auprès de l'enfant.	Ne pas offrir une présence psychologique stable. Ne pas être présent physiquement sur une base régulière.
Être fiable dans les réponses à ses besoins.	Négliger de répondre aux besoins de l'enfant.
Lui exprimer son amour inconditionnel.	Avoir des attentes irréalistes. Avoir des attentes conditionnelles à l'attachement.
Souligner et valoriser ses succès d'importance.	Ignorer ses succès ou ne pas leur accorder d'importance.
Souligner ses difficultés en ménageant sa fierté pour ses maladresses et en lui donnant les moyens de s'améliorer.	Blâmer l'enfant.
Lui offrir un cadre de vie stable dans le temps et dans l'espace.	Ne pas offrir un mode de vie constant.
Établir des règles de conduite sécurisantes et claires.	Ne pas établir de règles de conduite ou être inconstant dans l'application des règles.
Être constant dans l'application des règles de conduite.	Appliquer les règles selon son humeur.
Être ferme par rapport à certaines valeurs importantes et être souple sur d'autres points.	Se montrer rigide ou trop permissif.

Attitudes favorables	Attitudes défavorables
Réduire les facteurs de stress pour l'enfant en le préparant aux changements, en minimisant leur nombre et en l'aidant à trouver des façons de se calmer quand il est stressé.	Manifester du stress de façon évidente. Surévaluer les capacités de l'enfant.
Être un adulte en qui on peut avoir confiance.	Manquer d'accueil et de disponibilité.
Réactiver le souvenir de ses succès passés.	Ignorer les succès de l'enfant ou ne pas leur accorder de l'importance.
Souligner les forces de l'enfant.	Mettre l'accent sur les difficultés plutôt que sur les forces de l'enfant.
Soutenir l'enfant face aux difficultés.	Surprotéger l'enfant.
L'encourager à trouver des solutions aux problèmes.	Trouver des solutions à sa place.
Utiliser un langage positif et valorisant.	Utiliser à son égard des mots qui blessent. Humilier et utiliser des sarcasmes.
Favoriser l'expression de ses sentiments et émotions.	Réprimer l'expression des sentiments et des besoins ou ne pas leur accorder d'importance.
Permettre une ouverture aux autres.	Trop contrôler ses rapports sociaux.
Encourager les gestes de générosité et de coopération.	Susciter l'individualisme et la compétition.

Attitudes favorables	Attitudes défavorables
Encourager l'enfant à se faire des amis et à gérer lui-même les conflits.	Régler les conflits à la place de l'enfant.
Lui confier des responsabilités adaptées à son niveau.	Avoir des attentes trop grandes ou pas assez importantes.
L'encourager à faire des choix et à développer son autonomie.	Le maintenir dans la dépendance et le contrôler de façon excessive.
Encourager sa créativité.	Ignorer ou ne pas accorder d'importance à sa créativité.
Valoriser ses initiatives.	Ignorer ses initiatives ou ne pas leur accorder d'importance.
Respecter les motivations de l'enfant.	Imposer ses propres motivations.
Respecter le rythme développemental de l'enfant.	Imposer des apprentissages précoces.
Accorder plus d'importance à la démarche d'apprentissage qu'à ses résultats.	Centrer l'attention uniquement sur les résultats.
Accorder le droit à l'erreur.	Imposer son perfectionnisme et blâmer l'enfant pour ses erreurs.
Dédramatiser les erreurs.	Imposer le perfectionnisme de l'adulte.

Saviez-vous que...

Avoir une bonne estime de soi ne signifie pas être gentil, mais bien avoir conscience de ses forces et de ses difficultés, et s'accepter soi-même dans ce qu'on a de plus personnel et de plus précieux. Cela signifie aussi prendre ses responsabilités, s'affirmer, savoir répondre à ses besoins, avoir des buts personnels et prendre les moyens pour les atteindre. Avoir une bonne estime de soi demande de l'intégrité personnelle et de la considération pour les autres.

Favoriser un sentiment de sécurité et de confiance

▶ En quoi consiste le sentiment de sécurité ?

Si le besoin de sécurité compte chez l'adulte, il est encore plus fondamental chez l'enfant. Le bébé humain est, parmi les mammifères, celui qui dépend le plus de son entourage, notamment quant à sa sécurité physique et psychologique.

L'enfant doit d'abord ressentir une sécurité exogène (ou extérieure) qui se change progressivement en sécurité endogène (ou intérieure) et qui se transforme avec le temps en attitude de confiance face aux autres et à soi-même.

Il y a des bases éducatives nécessaires pour que l'enfant vive un sentiment de sécurité physique et psychologique. Avant tout, il faut que le milieu éducatif (maison, milieu de garde, école) soit organisé de manière à satisfaire ce besoin et qu'il garantisse cette sécurité

Sur le plan physique, les parents doivent choisir un milieu éducatif (milieu de garde, école) où la surveillance est adéquate. De plus, ils doivent prendre soin d'éliminer ou de mettre hors de portée de l'enfant les éléments qui comportent du danger (médicaments, produits toxiques, boutons de cuisinière, prises de courant, etc.) et respecter certaines mesures élémentaires de sécurité (un éclairage adéquat dans les escaliers, par exemple). Il faut aussi enseigner à l'enfant des stratégies ou des moyens concrets par lesquels il fera face aux dangers lorsque les adultes seront absents. Ces règles de sécurité doivent être bien comprises par l'enfant. Quand ce dernier se rend compte qu'on le protège contre des accidents ou des maladies, il sent qu'on lui accorde de la valeur et de l'importance, ce qui favorise l'estime de lui-même.

Certains parents accordent moins d'importance à la question de la sécurité psychologique. Or, cette forme de sécurité est également fondamentale pour le développement de l'enfant. Grâce à la régularité des soins qu'on lui prodigue et à la présence stable des adultes autour de lui, l'enfant arrive peu à peu à ressentir une sécurité psychologique et une attitude de confiance par rapport à l'autre et à lui-même.

▶ Quelles sont les attitudes éducatives qui favorisent le sentiment de sécurité ?

Une présence et des attitudes sécurisantes

De nos jours, les adultes sont souvent bousculés par mille activités et ils ont de moins en moins de temps à consacrer aux enfants. Or, à défaut d'une attention stable, un enfant risque de souffrir de négligence affective et de conclure qu'il n'a pas de valeur. Accorder de l'attention et du temps à l'enfant est primordial.

Garantir la stabilité

Trop de changements dans les routines de l'enfant provoquent de l'instabilité et de l'insécurité, et cela tend à diminuer la confiance. Les routines ont pour effet de sécuriser l'enfant et de le situer dans le temps et dans l'espace. De plus, lorsque les changements sont importants et fréquents, les parents doivent garantir la plus grande stabilité possible.

Développer l'autodiscipline

Il est essentiel que l'enfant arrive à distinguer les comportements permis des comportements interdits. Il doit apprendre, et cela est parfois pénible, à réguler et à adapter ses conduites en fonction des réalités qui l'entourent. Cette autodiscipline s'acquiert graduellement, de la petite enfance à l'adolescence.

Des règles de conduite sécurisantes

Tout milieu a besoin de règles pour fonctionner. À l'école et à la maison, les adultes doivent élaborer des règles de conduite ayant pour but de sécuriser l'enfant. En lui donnant des points de repère stables, l'adulte permet à l'enfant de s'adapter à son milieu tout en lui permettant d'intégrer des valeurs.

Les règles doivent comporter certaines caractéristiques

- Elles doivent être établies en fonction de l'**âge de l'enfant** et tenir compte de son **niveau de développement** et de ses **besoins**.

- Elles doivent être **claires**, c'est-à-dire véhiculer des valeurs éducatives compréhensibles par l'enfant (respect de soi, des autres ou de l'environnement).

- Elles doivent être **concrètes**, formulées sur un mode constructif et réaliste.

- Elles doivent être **constantes**, c'est-à-dire ne pas varier au gré de l'humeur de l'adulte. Pour favoriser la constance, il est important de n'avoir qu'un nombre réduit de règles à faire respecter.

- Elles doivent être **cohérentes**. Il est donc essentiel que l'adulte prêche par l'exemple en agissant lui-même selon les valeurs qu'il veut transmettre.

- Elles doivent être **conséquentes**, l'enfant devant apprendre à assumer les conséquences de ses gestes et de ses paroles si l'on veut qu'il intègre le sens de sa responsabilité personnelle.

La reconnaissance des bons comportements

Il faut souligner régulièrement les bons comportements de l'enfant par une reconnaissance ou des félicitations afin qu'il soit conscient de la valeur de ses gestes.

Saviez-vous que...

Le stress n'est pas uniquement négatif. Au contraire, il nous aide aussi à actualiser nos capacités adaptatives, à relever des défis et à évoluer. Tout dépend, bien sûr, de notre manière de le gérer.

Aider l'enfant à gérer le stress

On constate que les enfants vivent beaucoup de stress à cause de l'insécurité qu'ils ressentent face aux changements et à la nouveauté. Il faut donc les aider à gérer ce stress tout en agissant sur les causes de l'insécurité.

▶ D'où vient le sentiment de confiance ?

Le sentiment de confiance origine de ce que nous appelons la sécurité extérieure et se consolide quand l'adulte tient ses promesses envers l'enfant. Si c'est le cas, celui-ci est alors perçu comme un être fiable et sécurisant. C'est à cette condition que l'enfant en arrive à intérioriser le sentiment de confiance qui, seul, peut lui inspirer de l'espoir en l'avenir.

Cette confiance en l'autre se transforme donc progressivement en confiance en soi. En effet, la sécurité et la confiance dans des adultes qui ont de l'importance aux yeux de l'enfant lui permettent de se risquer dans la découverte de son environnement parce qu'il a la certitude que quelqu'un viendra le protéger ou l'aider si un danger se présente.

Pour insuffler un sentiment de confiance à l'enfant, il faut aussi lui faire confiance. En effet, le parent ou l'éducateur doit croire aux capacités d'adaptation de l'enfant. Il lui appartient de le soutenir dans ses initiatives, de valoriser son apprentissage et de le protéger sans le surprotéger.

▶ Quels sont les signes observables d'un sentiment de sécurité et de confiance chez l'enfant ?

Les enfants qui ressentent de la sécurité et de la confiance manifestent la majorité des attitudes et des comportements suivants :

- ils sont confiants face aux adultes qu'ils connaissent ;
- ils sont capables de se détendre physiquement ;
- ils sont capables d'accepter les contacts physiques ;
- ils sont capables de s'adapter au stress ;
- ils sont capables de demeurer calmes face à une blessure physique ;
- ils sont capables de demeurer calmes face à un malaise physique ;
- ils sont capables de tolérer des délais ;
- ils sont capables d'anticiper du plaisir ;
- ils sont capables de réagir positivement à une nouveauté ;
- ils sont capables de courir des risques calculés ;
- ils sont capables de représentation mentale du temps ;
- ils sont optimistes face à l'avenir ;
- ils sont capables de comprendre et d'accepter le sens des règles ;
- ils sont capables de répondre positivement aux règles.

▶ Quelles sont les attitudes parentales qui favorisent la confiance chez l'enfant ?

- Garantir une stabilité à l'enfant par un horaire régulier ; lui offrir un cadre de vie stable dans l'espace et dans le temps.
- Établir des routines et des rituels fixes.
- Être stable ou fiable dans la réponse à ses besoins physiques.
- Être stable ou fiable dans la réponse à ses besoins affectifs.
- Lui garantir une sécurité physique en éliminant les sources de danger physique et de maladie.
- Réserver du temps pour s'amuser avec l'enfant.

Saviez-vous que...

- Les petits enfants qui se sentent sécurisés dans leurs relations avec leurs parents sont plus indépendants, réagissent mieux aux séparations et ont une plus grande estime d'eux-mêmes lorsqu'ils entrent à l'école.

- On ne peut pas développer une bonne image de soi si on vit constamment dans la peur ou l'inquiétude. Chacun a besoin de stabilité pour bâtir un sentiment de confiance en l'autre puis en soi-même. Les parents peuvent procurer cette sécurité en minimisant les changements, en posant des limites réalistes et en répondant aux besoins de leur enfant.

- Lui offrir sécurité et affection quand il est malade ou blessé.
- Lui offrir sécurité et affection en accueillant ses émotions : colère, tristesse, peur, etc.
- Tenir les promesses.
- Doser les délais entre ses désirs et leur satisfaction.
- Éviter les écarts excessifs d'humeur.
- Établir des règles de conduite sécurisantes.
- Être constant dans l'application des règles de conduite.
- Imposer des conséquences logiques à la suite d'un manquement aux règles de conduite.
- Réduire le plus possible les facteurs de stress en préparant l'enfant aux changements.
- Offrir à l'enfant des façons de réduire son stress par des activités de relaxation.

Saviez-vous que...

Entre 9 et 12 mois, l'enfant commence à se reconnaître dans un miroir. Entre 15 et 18 mois, il arrive à se distinguer des autres sur les photos et, vers 20 mois, il découvre qu'il est un garçon ou une fille. Vers l'âge de 3 ans, il commence à utiliser le pronom « je » en parlant de lui. On constate que l'enfant se découvre lui-même progressivement et qu'il découvre en même temps qu'il a de moins en moins besoin des autres ; il établit ainsi une distance avec eux qui s'accentuera jusqu'à l'âge adulte.

Favoriser la connaissance de soi

▶ Pourquoi est-ce important de bien se connaître ?

La connaissance de soi est nécessaire pour acquérir l'estime de soi. Apprendre à se connaître est un processus qui dure toute une vie. La connaissance de soi devient de plus en plus précise au cours des diverses périodes de la vie et elle constitue en quelque sorte le pilier sur lequel s'appuie l'estime de soi. En effet, qu'il s'agisse d'un enfant, d'un adolescent ou d'un adulte, il faut apprendre à se connaître avant de pouvoir se reconnaître (estime de soi).

Avoir une bonne estime de soi, c'est d'abord se connaître suffisamment bien pour pouvoir utiliser ses forces personnelles tout en ayant une vue assez juste de ses limites. C'est pouvoir faire face aux difficultés de la vie en croyant fermement en soi, sans se faire d'illusions et sans cultiver le sentiment de devoir être le meilleur du monde.

▶ Comment se développe la connaissance de soi ?

La connaissance de soi se développe chez l'enfant grâce à ses interactions avec les autres. C'est en présence des personnes qui ont de l'importance à ses yeux que l'enfant réalise une multitude d'activités physiques, sociales et intellectuelles au cours desquelles il développe des habiletés dont il devient peu à peu conscient.

Grâce à ce qu'il apprend, grâce aussi aux réactions des personnes de son entourage, l'enfant développe une connaissance de son milieu et sa propre personne. Au fil des expériences qu'il vit, il en vient à prendre conscience de ses caractéristiques physiques, de ses besoins et de ses sentiments, ainsi que de ses capacités physiques, intellectuelles et sociales.

Quel que soit son âge, chaque fois qu'un enfant apprend une nouvelle chose, il rompt un lien de dépendance par rapport à son entourage. Ainsi, il prend de plus en plus de distance face aux personnes qui l'entourent. La connaissance de soi et la certitude d'être une personne à part entière se développent graduellement.

▸ Unique au monde ou pareil aux autres ?

Chaque enfant, à la naissance, possède des caractéristiques particulières. Chacun a des traits de caractère qui lui sont propres, exprime à sa façon des besoins à combler et se développe selon un rythme qui est le sien. Par ses actions, ses réactions, ses besoins et ses sentiments, chaque enfant démontre qu'il est différent des autres enfants et de ses parents.

C'est en constatant ses différences par rapport aux autres qu'un enfant prend connaissance de ce qu'il est et qu'il développe un sentiment d'identité personnelle. En effet, si une personne se sent pareille en tout point à quelqu'un d'autre, elle ne peut percevoir son identité. L'enfant doit donc voir ce qui le distingue des autres.

Il doit prendre conscience qu'il n'a pas la même morphologie et la même physionomie que les autres, qu'il possède un ensemble d'habiletés qui lui sont propres sur les plans physique, intellectuel et social, et qu'il est le seul de son entourage à avoir certains traits de caractère. Ces différences qu'il découvre graduellement l'amènent à se percevoir comme une personne unique.

Dans cette quête d'identité, l'enfant s'aperçoit également qu'il possède les mêmes habiletés que d'autres enfants et qu'il a les mêmes réactions ou les mêmes traits de caractère que ses camarades. Grâce à cet équilibre entre la perception des différences et des ressemblances par rapport aux autres, l'enfant finit par bien se connaître.

▶ Les attentes des adultes peuvent-elles être nuisibles ?

Il est tout à fait normal d'avoir des attentes face à son enfant, mais il est important qu'elles soient réalistes. Le parent qui a des attentes trop précises court le risque d'être désappointé et de centrer davantage son attention sur les aspects négatifs ou sur les défauts de son enfant.

Les adultes, parents et enseignants, ont beaucoup d'attentes face aux enfants. Pourquoi attachons-nous tant d'importance au rendement, aux résultats, aux exploits, et pourquoi suivons-nous le développement de l'enfant à la loupe ? Est-ce que cela traduit notre espoir de tout réussir par son entremise ? Cette attitude est néfaste, car l'enfant, s'il nous ressemble, est également très différent.

Un enfant veut avant tout être aimé et il est prêt à beaucoup pour y arriver ; il peut même renier sa nature profonde. L'enfant qui n'est jamais satisfait de lui-même, qui se critique, qui détruit ses dessins et panique s'il n'obtient pas la meilleure note à l'école, est convaincu qu'il ne peut être aimé qu'en étant parfait. Il croit qu'il est toujours en deçà de ce qu'on attend secrètement de lui et il peut facilement développer des symptômes liés au stress de performance (maux de cœur, de ventre, insomnie, etc.) ainsi que des sentiments dépressifs et ce, même si le parent n'exprime pas ouvertement ses attentes.

Trop de parents et d'enseignants, perfectionnistes et intransigeants envers eux-mêmes et les enfants, ont tendance à fixer leur attention sur les difficultés et les imperfections, et à oublier les forces et les qualités. En éducation, il faut faire le deuil du perfectionnisme, oublier l'enfant rêvé pour découvrir l'enfant réel. Il est important d'avoir des attentes face à son enfant, mais celles-ci doivent être conformes à ses intérêts, à ses capacités et au rythme de son développement particulier.

Étienne ou des difficultés de comportement

Pour donner suite à une recommandation de l'école, une mère demande de l'aide pour son fils Étienne qui manifeste d'importantes difficultés de comportement en classe ainsi qu'à la maison. Étienne est en troisième année et il ne présente aucune difficulté d'apprentissage. Son rendement scolaire a toujours été au-dessus de la moyenne. Cependant, son enseignante se sent démunie face à ses comportements agressifs et même violents. En effet, Étienne fait des crises deux ou trois fois par jour, lorsque son enseignante lui impose une consigne ou lorsqu'il est tout simplement frustré. À la maison, il tolère très peu les frustrations. Dans ces circonstances, sa colère monte et il perd souvent le contrôle de lui-même. Il crie, lance des objets. En classe, il lui arrive même de frapper d'autres élèves. À la maison, il dit des mots vulgaires à sa mère et il lui donne parfois des coups de pied et de poing.

Étienne vit seul avec sa mère et il voit très peu son père. Les parents se sont séparés quand l'enfant avait 4 ans. Il a été témoin de violence conjugale avant le départ du père. La mère travaille à temps plein dans une usine et elle souligne qu'elle est très fatiguée le soir. Elle se sent coupable de ne pas consacrer plus de temps à son enfant. Toutefois, elle dit qu'elle fait des activités et des sorties avec son fils durant les fins de semaine. Elle se juge mauvaise mère, elle se sent dépassée par le comportement d'Étienne. Elle dit même qu'elle n'aurait pas dû être mère.

À la suite de ses crises, quand il se calme, Étienne se traite de «méchant». Pour sa part, sa mère le compare à son père, disant qu'il est violent comme ce dernier. Elle lui dit souvent, à la suite de ses crises de colère, qu'il n'est pas contrôlable, qu'il est méchant. Étienne ne se reconnaît aucune qualité ou habileté.

À l'école, son comportement, qui a toujours été difficile à gérer, l'est davantage depuis quelques mois. Son enseignante a beau faire des efforts pour le valoriser, elle n'y arrive pas vraiment. En effet, elle n'ose plus le complimenter parce que son comportement devient plus encore difficile lorsqu'elle le fait.

Comment intervenir

Étienne a une perception très négative de lui-même. Cette perception est alimentée par les jugements négatifs des intervenants scolaires et de sa mère. Cet enfant a tendance à répéter les gestes violents dont il a été témoin entre son père et sa mère. C'est le phénomène de transmission intergénérationnelle. En manifestant de la violence, Étienne confirme l'image négative qu'il a de lui-même, qui est d'ailleurs confirmée par les jugements négatifs des adultes. Il est de plus en plus convaincu qu'il est méchant. Il se trouve dans un processus d'intériorisation d'une identité négative qu'il cherche inconsciemment à conserver par une répétition compulsive de gestes violents. Inconsciemment, il défend son identité négative en adoptant un comportement plus difficile à la suite d'un compliment. On doit aider Étienne à freiner ce processus de dévalorisation et d'identité négative de sa personne en développant une estime de lui-même. Cela ne peut se faire sans un combat entre le « bon » et le « méchant » Étienne. Les adultes doivent devenir les alliés du bon Étienne qui existe malgré les apparences. Voici les stratégies qui ont été suggérées et appliquées.

· Revalorisation des compétences parentales de la mère. Cette dernière n'est pas consciente qu'elle manifeste des habiletés parentales du fait qu'elle est chaleureuse avec Étienne ; de plus, son fils est bien habillé et bien nourri et elle fait des efforts pour lui faire vivre de bonnes activités pendant la fin de semaine.

· Offrir des moments de répit à la mère grâce à l'aide de services communautaires afin qu'elle puisse se reposer, rencontrer et échanger avec d'autres parents qui vivent des difficultés.

· Aider la mère à se faire respecter par Étienne en lui proposant d'imposer un petit nombre de règles qui doivent toutefois être claires et, surtout, constantes.

· Les adultes doivent amener Étienne à comprendre que ce sont ses gestes de violence qu'on n'accepte pas et non pas sa personne.

· Le soir, au coucher, après l'avoir bordé, lui rappeler deux ou trois actions positives qu'il a faites durant la journée.

· Aider Étienne à prendre conscience qu'il lui est difficile d'accepter des compliments parce que ceux-ci sont en contradiction avec la perception négative qu'il a de lui-même.

· Aider Étienne à prendre conscience de ses qualités ainsi que de ses habiletés en lui rappelant quelques-unes de ses actions positives qu'il ne peut nier.

· L'amener à prendre conscience de ses progrès en soulignant concrètement ses petits succès.

▶ Quels sont les signes observables d'une bonne connaissance de soi ?

Il ne faut pas s'attendre à ce qu'un jeune enfant acquière une très grande connaissance de soi et développe le sentiment complet de son identité personnelle. C'est là le travail de toute une vie ! Toutefois, l'enfant peut, à l'occasion et de façon variable, adopter les attitudes et les comportements suivants :

- il est capable de reconnaître en lui une habileté physique ou une difficulté de cet ordre ;

- il est capable de reconnaître en lui une habileté intellectuelle ou une difficulté de cet ordre ;

- il est capable de reconnaître en lui une habileté relationnelle ou une difficulté de cet ordre ;

- il est capable de reconnaître en lui une habileté créatrice ou une difficulté de cet ordre ;

- il est capable de déterminer ce qui le différencie des autres ;

- il est capable de s'affirmer ;

- il est capable de déterminer les gestes ou les paroles pour lesquelles les autres l'apprécient ;

- il est capable de faire des choix ;

- il est capable d'exprimer ses goûts et ses idées ;

- il est capable d'exprimer ses sentiments ;

- il est capable d'avoir de plus en plus conscience des liens qui existent entre ses besoins, ses sentiments et son comportement ;
- il est capable d'exprimer ses besoins ;
- il est capable de se faire respecter ;
- il est capable d'assumer de petites responsabilités adaptées à son âge ;
- il est capable de conserver le souvenir de petits succès passés.

▶ Quelles sont les principales attitudes parentales qui nuisent à l'estime de soi ?

Une éducation « négative ». L'éducation reçue par la majorité des adultes d'aujourd'hui se caractérisait par la recherche des lacunes et des fautes. Elle a été largement conditionnée par des messages négatifs qui empêchaient souvent les parents de voir le bon côté des choses et de souligner les gestes positifs de leurs enfants. Cette éducation a donné aux adultes des réflexes qui se sont ancrés et qui se manifestent par des remarques comme : « Il ne connaît pas son alphabet malgré des mois de pratique », « Il ne range jamais sa chambre ». Les *toujours* et les *jamais* rendent les enfants impuissants et les empêchent de changer.

Les mots qui blessent. Il y a des mots qui sont comme des caresses et d'autres qui blessent profondément. Il est donc très important de parler de façon respectueuse à un enfant ; pour développer le respect de lui-même, il doit se sentir respecté par les autres. Les petits sobriquets à connotation négative, même s'ils sont verbalisés sans agressivité, finissent par lui donner le sentiment d'avoir moins de valeur que les autres. Les critiques négatives et fréquentes, les remarques acerbes, les jugements à l'emporte-pièce, voilà autant de coups portés à l'enfant.

▶ Quelles sont les attitudes parentales qui favorisent la connaissance de soi?

Les parents doivent adopter des attitudes et des moyens susceptibles de favoriser la connaissance de soi chez leur enfant. Ils doivent chercher:

- à tisser une relation d'attachement et de connivence;
- à reconnaître et à accepter les différences entre leur enfant et ceux des autres;

Saviez-vous que...

· Accepter son enfant tel qu'il est, c'est le traiter avec dignité.

· Il est très important pour votre enfant d'être pris au sérieux.

· Ce qui nuit beaucoup à l'estime de soi des enfants, ce sont les attentes irréalistes des parents et des adultes qui les entourent!

- à faire le deuil de l'enfant rêvé ;
- à proposer des objectifs réalistes, tant sur le plan de l'apprentissage que sur celui du comportement ;
- à faire preuve d'empathie et de chaleur humaine ;
- à utiliser un langage respectueux ;
- à éviter de poser des étiquettes sur l'enfant, comme « paresseux », « lent », etc. ;
- à se centrer sur les forces, les qualités et les compétences ;
- à avoir régulièrement des réactions positives ;
- à inciter l'enfant à prendre conscience qu'il est unique au monde par ses caractéristiques corporelles ainsi que par ses qualités et ses talents particuliers ;
- à favoriser l'affirmation et l'autonomie ;
- à aider l'enfant à prendre conscience de ses besoins et de ses sentiments et à les exprimer adéquatement ;
- à amener l'enfant à prendre conscience des liens qu'il y a entre ses besoins, ses sentiments et ses comportements ;
- à souligner les difficultés rencontrées et à l'aider à les surmonter ;
- à éviter de souligner le comportement inacceptable devant les autres ;
- à blâmer le comportement inacceptable et non pas l'enfant.

Il serait illusoire de s'attendre à ce que les parents adoptent toutes ces attitudes et utilisent tous ces moyens de façon continue. Toutefois, il importe qu'ils s'interrogent régulièrement sur la qualité de la relation qu'ils tissent avec leur enfant. L'estime de soi d'un enfant est très influencée par le climat relationnel dans lequel il vit.

Favoriser un sentiment d'appartenance

▶ Appartenir à un groupe, être en relation avec les autres, est-ce important ?

Un être humain ne peut vivre de façon complètement autonome, replié sur lui-même et isolé. Par nature, il est social et grégaire. Il a besoin d'appartenir à un groupe, de se relier à autrui, de sentir qu'il est rattaché à un réseau relationnel. L'enfant ne fait pas exception et son besoin de faire partie d'un groupe augmente au fur et à mesure qu'il grandit.

Nous avons tous besoin d'être reconnus par les autres pour exister. L'enfant a besoin du regard de ses parents, l'enseignant existe grâce à ses élèves, les amis se comparent entre eux. Que l'on cherche à être perçu comme semblable aux autres ou différent, ce sont eux qui nous confirment notre existence.

De nos jours, les enfants passent beaucoup de temps dans des groupes organisés (service de garde, école, loisirs, etc.) qui influent de façon certaine sur leur développement. Ces groupes sont donc importants et nécessaires, car ils fournissent des occasions de s'ouvrir et de s'adapter à une autre dynamique que celle du milieu familial et, par extension, à la société en général.

▶ Qu'entend-on par « estime de soi sociale » ?

L'être humain a besoin d'appartenir à un groupe, de sentir qu'il est rattaché à un réseau relationnel et, en particulier, d'avoir un compagnon ou une compagne ainsi que des amis. Échanger, faire des choses concrètes avec d'autres, rire, chanter, tout cela procure un sentiment de complétude et rend heureux. Dans l'adversité, les amis sont de notre côté et nous protègent contre la solitude. Être aimé et apprécié, cela nous aide à faire face à bien des situations. Ce que les autres nous disent, la façon dont ils nous regardent et nous écoutent, bref la façon dont ils nous considèrent, tout cela nous aide à nous définir et nous donne le goût de nous améliorer. Le sentiment d'appartenance joue un rôle d'antidote au sentiment de solitude sociale.

L'estime de soi sociale ou la valeur qu'une personne s'attribue sur le plan social se développe donc par la socialisation et se concrétise par l'appartenance à un groupe. Suis-je important aux yeux des autres ? Les autres sont-ils importants à mes yeux ? Quelle est la valeur que je me donne dans ma famille, dans mon groupe d'amis, dans mon équipe de travail ? Toutes ces questions sont reliées à l'estime de soi sociale. La personne qui considère que sa présence au sein d'un groupe n'a pas d'importance ou qu'elle ne change rien au groupe estime en fait qu'elle compte peu pour les autres. Il est probable qu'elle vit un sentiment de solitude. Elle a certainement besoin d'améliorer son estime d'elle-même sur le plan social et de vivre un sentiment d'appartenance.

▸ Comment se fait l'apprentissage de la socialisation ?

Au cours de ses premières années, l'enfant vit avec ses parents une profonde relation d'attachement qui constitue en quelque sorte la base de son estime de soi. Dès l'âge de 2 ans, il adore être avec des petits comme lui, même s'il ne peut pas vraiment jouer avec eux. Il aime leur présence. À cet âge, le jeune enfant est conscient de la présence des autres enfants. Il les observe et les imite. Il est plutôt solitaire, il joue en présence de l'autre et il apprend peu à peu à tolérer la proximité des autres enfants. Il s'intéresse particulièrement aux jeux de l'autre et surtout… à ses jouets. Son langage n'est pas assez développé pour demander à l'autre enfant l'objet qu'il convoite. À cette période, on observe de nombreux conflits reliés au partage des jouets.

Vers 4 ans, l'enfant réclame à grands cris des amis. Même le parent le plus patient et le plus disponible ne peut constituer un ami aussi merveilleux qu'un autre enfant. Se tirer les cheveux, s'arracher un jouet, apprendre à négocier et à partager, cela fait partie des apprentissages sociaux. À cet âge, les enfants font surtout des jeux associatifs ou des coopérations,

c'est-à-dire des opérations parallèles dans une même activité. L'enfant est particulièrement intéressé à se joindre à un groupe de camarades qui font une activité ludique, mais il est souvent maladroit dans ses demandes. À cet âge, ce sont d'abord les goûts communs qui comptent. Le choix des compagnons de jeux change souvent selon les intérêts.

On assiste donc, tout au long du développement de l'enfant, à un déclin de l'influence parentale au profit de celle des amis. L'enfant prend peu à peu une distance par rapport à ses parents afin de s'ouvrir au monde social.

De 5 à 12 ans, durant le parcours scolaire, on retrouve chez la majorité des enfants des motivations communes très importantes :

- le désir d'être aimé, estimé et accepté par les autres, particulièrement par ceux qui ont le même âge et sont du même sexe ;
- la tendance à imiter les autres, surtout ceux que l'enfant admire et valorise ;
- le désir d'être semblable à ceux qu'il aime et respecte ;
- le désir d'éviter à tout prix le rejet des autres.

L'enfant éprouve un désir très vif d'appartenir à un groupe d'amis. Peu à peu, sa dépendance affective à l'égard de l'adulte diminue au profit de la dépendance sociale à l'égard de ses amis. Par le biais de ses relations avec eux, l'enfant arrive à ressentir qu'il a une valeur aux yeux des autres.

▶ Où l'enfant apprend-il vraiment à développer ses compétences sociales?

C'est dans sa **famille** que l'enfant s'initie à la vie en société. La famille, premier noyau d'appartenance de l'enfant, conditionne ou influence beaucoup sa capacité future d'adaptation. Une fois à l'**école**, l'enfant veut élargir son cercle d'amis et se faire accepter par un nombre de plus en plus important de personnes. Il doit donc apprendre à se régulariser et à s'ajuster davantage aux autres. Il apprend d'abord à **entrer en contact** avec les autres sans s'imposer, à **s'affirmer** de façon constructive (dire qui il est, en quoi il est différent, ce qu'il aime, ce qu'il n'aime pas...), à **tenir compte** des opinions et des besoins des autres, à maîtriser ses gestes et ses paroles (**contrôle de soi**), et à **résoudre des conflits**.

Par ailleurs, ce sentiment d'appartenance à l'école comme tel est fondamental. L'école devient un lieu privilégié pour favoriser le développement de la socialisation chez les enfants et pour que se forme un sentiment d'appartenance. L'enfant y apprend à se faire une place au sein d'un groupe, il apprend à se faire des amis, à s'adapter aux règles, à gagner ou à perdre, à parler et à s'affirmer ainsi qu'à assumer des responsabilités. Il apprend également à socialiser ses pulsions et à mettre ses habiletés particulières au service de la collectivité.

▶ Quels sont les signes observables d'un sentiment d'appartenance chez l'enfant ?

L'enfant qui vit un bon sentiment d'appartenance à un groupe manifeste la majorité des attitudes et des comportements suivants :

- il cherche activement la présence des autres ;
- il est détendu lorsqu'il est en groupe ;
- il communique facilement avec les autres ;
- il retient bien les slogans, les chants de ralliement, etc. ;
- il est sensible aux autres ;
- il est capable de générosité ;
- il est capable de partage et d'entraide ;
- il suggère, à l'occasion, des idées pouvant servir au groupe ;
- il assume de petites responsabilités dans le groupe ;
- il parle de ses amis ou du groupe à la maison ;
- il est capable d'appliquer des stratégies pour résoudre des problèmes sociaux.

▶ Quelles sont les attitudes parentales qui favorisent un sentiment d'appartenance ?

- Être un modèle de sensibilité aux autres, de partage et de générosité.
- Planifier des activités familiales, sources de plaisir.

- Promouvoir la justice et l'équité dans la famille.
- Cultiver la fierté d'appartenir à la famille.
- Confier de petites responsabilités aux enfants et les valoriser pour leurs contributions à l'ensemble de la famille.
- Imposer un climat de respect entre les membres de la famille.

Saviez-vous que...

- Toute discipline est fondée sur une relation aimante.
- Les règles sont nécessaires au bon fonctionnement de tout groupe social, incluant la famille.
- L'enfant et l'adolescent doivent trouver leur place dans un groupe d'amis. Une vie sociale réussie constitue un rempart contre la dépression.
- Une bonne façon de communiquer comporte deux attitudes fondamentales : s'intéresser vraiment à ce que l'autre nous dit, sans le juger, sans le critiquer et sans argumenter, et s'exprimer ouvertement.
- Plaisir au jeu, plaisir d'apprendre, plaisir à vivre en société, tous ces plaisirs sont importants pour construire l'estime de soi.

- Encourager les enfants à être sensibles à la dimension sociale.
- Encourager les enfants à être généreux et à pratiquer le partage et l'entraide.
- Inviter les amis de vos enfants à la maison.
- Suggérer des stratégies de résolution de problèmes sociaux.
- Donner des rétroactions positives sur les habiletés sociales.
- Participer comme bénévole à certaines activités du milieu de garde et de l'école.

Favoriser un sentiment de compétence

▶ Où l'enfant acquiert-il ses connaissances ?

Ce n'est pas à l'école qu'un individu acquiert la majorité de ses connaissances. En effet, un grand pédagogue américain, Benjamin Bloom, a démontré qu'on acquiert environ 80 p. 100 de nos connaissances en dehors de l'école. Lorsque l'enfant entre en maternelle, il possède déjà tout un bagage de connaissances qu'il doit en grande partie à ses parents. Il maîtrise des connaissances parfois très complexes, dont celle du langage oral, qui s'acquièrent simplement par le lien entre enfant et parents. Cette relation constitue l'essence même de l'estime de soi chez le petit. Quand l'enfant perçoit qu'il est réellement aimé, il en conclut qu'il est aimable et que, par conséquent, il a une valeur.

▶ Qu'est ce que le sentiment de compétence ?

Le sentiment de compétence se définit comme étant l'intériorisation et la conservation des souvenirs de succès personnels dans l'atteinte d'objectifs dans différents domaines. Ce sentiment se manifeste par une motivation profonde à poursuivre des buts personnels et par une conviction intime d'être capable de relever des défis et d'acquérir différentes connaissances. Un tel sentiment n'arrive pas par magie. Il se développe au cours des années, après de multiples expériences de réussite dans l'atteinte d'objectifs.

▶ Quelles sont les étapes que l'enfant franchit pour en arriver à vivre un sentiment de compétence ?

Il y a deux étapes préalables à l'apparition durable d'un réel sentiment de compétence. Avant 7 ou 8 ans, l'enfant vit un sentiment de réussite en se centrant soit sur le résultat, soit sur le produit final. Il se concentre donc sur un seul aspect à la fois : ou sur l'action en cours, pour le simple plaisir de faire, ou sur le résultat. Sa pensée n'est pas assez développée pour coordonner actions et résultats de façon logique et, conséquemment, il établit peu de relations causales entre ses attitudes, ses stratégies (ou façons de faire) et les résultats qu'il obtient. Pourtant, ses réussites augmentent peu à peu sa motivation à entreprendre d'autres projets si les adultes de son entourage l'amènent à prendre conscience de ses bons coups en lui parlant à haute voix de ses succès. L'enfant devient conscient qu'il fait de bonnes choses, ce qui lui permet d'être motivé pour relever d'autres défis.

Après avoir connu des sentiments de réussite centrés sur le résultat final, l'enfant doit vivre l'autre étape préalable au sentiment de compétence, soit le sentiment d'efficacité. Celui-ci se caractérise par un sentiment de valorisation personnelle qui résulte d'une juste perception des relations entre les attitudes adoptées, les stratégies utilisées et le succès dans l'atteinte d'un résultat. L'enfant connaît ce sentiment d'efficacité quand il devient conscient que le résultat n'a pas été obtenu par magie, mais bien comme l'aboutissement d'une démarche. Telle est l'équation logique des apprentissages :

ATTITUDES
(attention, motivation, autonomie, responsabilité)

+

STRATÉGIES
(moyens ou façons de faire)

=

RÉSULTATS
(succès ou échec dans l'atteinte de l'objectif)

Valérie ou les difficultés d'apprentissage

Des parents demandent de l'aide pour leur fille Valérie qui vit des difficultés d'apprentissage et des échecs en mathématiques. Valérie est en quatrième année et son rendement scolaire est faible en mathématiques depuis la deuxième année. Cependant, elle a constamment été compétente en français, surtout en lecture. Les parents ne comprennent pas les raisons de cet écart de rendement entre les deux matières.

Valérie aime beaucoup la lecture, elle évoque facilement des images mentales en lisant et elle fait preuve d'une bonne logique en compréhension de texte. Cependant, sa capacité de raisonnement logique ne se généralise pas en mathématiques. Elle se montre incapable de mémoriser les tables de multiplication et, lorsqu'elle doit résoudre des problèmes en mathématiques, elle se sent battue à l'avance et convaincue qu'elle vivra d'autres échecs. Elle manifeste de l'anxiété durant les devoirs de mathématiques à la maison et surtout avant les examens dans cette matière. Cette anxiété, qui se manifeste souvent de façon dramatique, l'empêche d'accéder à sa capacité d'abstraction et de raisonnement logique.

En somme, Valérie fait preuve d'un riche imaginaire dans ses jeux à la maison et dans ses rédactions de textes. Elle est consciente de ses capacités et de ses succès en français, mais elle se dévalorise par rapport aux mathématiques en se jugeant stupide et même débile.

Comment intervenir

Valérie est prise dans un cercle vicieux du fait que son anxiété la prédispose à des échecs et que ceux-ci augmentent son anxiété. Les parents et les intervenants scolaires doivent aider Valérie à décontaminer sa perception négative des mathématiques et à se faire plus confiance par rapport à cette matière scolaire. Voici les stratégies qui ont été conseillées et appliquées pour développer chez Valérie un sentiment de compétence face aux mathématiques.

· Aider Valérie à prendre conscience qu'elle a une bonne capacité de raisonnement logique et d'abstraction en compréhension de texte et que cette compétence peut s'appliquer aux mathématiques.

- L'amener à résoudre des problèmes qui nécessitent de la logique et de la déduction sans opérations mathématiques.

- L'aider à utiliser sa compétence dans les compréhensions de texte pour mieux comprendre les énoncés des problèmes raisonnés en mathématiques. L'aider à prendre conscience de ses succès et de ses habiletés dans ces problèmes en mathématiques.

- Construire avec elle un carnet de fierté dans lequel tous ses succès scolaires sont inscrits, y compris ceux en mathématiques.

- Avant un examen en mathématiques, l'encourager à relire son carnet de fierté pour la remettre en contact avec ses forces et ses habiletés.

- L'aider à prendre conscience du rôle inhibant de son anxiété par rapport aux mathématiques. L'amener à réduire son anxiété en prenant de grandes respirations, en utilisant des techniques de relaxation, en évoquant ses succès passés et en utilisant de bonnes stratégies de travail.

- Amener ses parents à accorder moins d'importance aux résultats scolaires et à donner plus d'importance aux stratégies qu'elle utilise, à sa démarche d'apprentissage.

▶ Quel rôle joue la motivation ?

La motivation – ce qui incite une personne à accomplir une tâche ou à atteindre un objectif correspondant à un besoin – est faite de désir et de volonté. Autrement dit, c'est un ensemble de forces qui poussent un individu à agir. On peut dire aussi de la motivation que c'est l'anticipation du plaisir ou de l'utilité d'une tâche à accomplir.

Pour ce qui est de la motivation scolaire, on peut dire qu'elle commence bien avant le début de l'école. En effet, la motivation à faire des activités mentales prend d'abord sa source dans le milieu familial. On sait qu'un enfant, avant l'âge de 6 ans, a un comportement plutôt verbomoteur. Toutefois, il est intrigué lorsqu'il voit ses parents faire quelque chose qu'il ne fait pas lui-même, par exemple tenir un livre ou une revue pendant de longues minutes. Il se demande ce que peut bien avoir d'intéressant cet objet avec lequel on ne peut même pas jouer ! La curiosité qu'il développe pour les secrets et les activités des adultes est à l'origine de sa motivation pour la lecture, entre autres.

Si les parents lisent rarement, s'ils n'ont pas de vie intellectuelle et s'ils s'intéressent peu aux activités scolaires de leur enfant, il y a de fortes chances que celui-ci en fasse autant. La motivation se cultive et ne s'impose pas. Toutefois, les parents peuvent jouer un rôle incitatif dans ce domaine. Pour comprendre ce rôle, il suffit de comparer la motivation à l'appétit ; on ne peut pas forcer un enfant à avoir de l'appétit, mais on peut l'inciter à manger en variant les menus et en lui présentant des petits plats attrayants. De la même manière, on ne peut forcer un enfant à apprendre, mais on peut l'y inciter.

▶ L'aspect utile des apprentissages peut-il aider à motiver l'enfant ?

Comme l'adulte, l'enfant n'est pas motivé à accomplir une tâche s'il n'en perçoit pas l'utilité. Les parents ont un grand rôle à jouer sur ce plan. Il faut amener l'enfant à faire des liens entre ce qu'il apprend à l'école et l'application de ces connaissances dans la vraie vie. C'est là une attitude essentielle pour nourrir la motivation de l'enfant et l'aider à utiliser ses connaissances dans plusieurs domaines.

▶ Autonomie ou surprotection ?

L'autonomie est généralement définie comme la capacité d'un individu d'être libre et indépendant du point de vue moral et intellectuel, et d'appuyer son comportement sur des règles ou des valeurs librement choisies. Elle se résume essentiellement par la capacité de rompre les liens de dépendance avec l'entourage et de faire des choix personnels.

En revanche, la surprotection constitue une attitude très nuisible à l'autonomie. Surprotéger un enfant, c'est faire quelque chose à sa place alors qu'il est capable d'y arriver lui-même. Une telle attitude freine le développement de l'autonomie chez l'enfant, surtout si elle est souvent vécue dans le quotidien. La surprotection maintient l'enfant dans la dépendance et son estime de lui-même en est affectée ; en effet, si l'on fait quelque chose à sa place, on lui transmet le message qu'il n'est pas capable d'y arriver. C'est un jugement d'incompétence à son égard.

Saviez-vous que...

Travailler à développer l'estime de soi des enfants, c'est avoir comme projet éducatif de leur permettre d'actualiser ce qu'ils ont de meilleur en eux. Imaginez ce que serait le monde de demain si nos enfants, devenus adultes, menaient leur vie dans le respect d'eux-mêmes et des autres, en considérant la nature et l'humanité comme un tout indissociable dont il faut prendre soin !

Saviez-vous que...

· On ne peut pas *vouloir* à la place de l'enfant.

· Les enfants, comme les adultes, réagissent au stress par des symptômes physiques (mal à la tête, mal au ventre, tics...) ou par des problèmes de comportement ou d'apprentissage (agressivité, retrait, perte de mémoire...).

· Encourager son enfant sans le flatter, c'est lui donner de l'espoir en l'avenir.

▶ Quels sont les signes observables d'un sentiment de compétence chez l'enfant ?

L'enfant qui vit un bon sentiment de compétence manifeste la majorité des attitudes et des comportements suivants :

- il se souvient de ses réussites passées ;
- il anticipe du plaisir face à une activité ;
- il perçoit l'utilité des activités ou des apprentissages qu'on lui propose ;
- il manifeste de la fierté à la suite d'une réussite ;
- il manifeste le goût d'apprendre ;
- il manifeste de la curiosité intellectuelle ;
- il est capable de faire des choix de stratégies ou de moyens ;
- il est capable de persévérance malgré les difficultés ;
- il manifeste de la créativité ;
- il est capable d'initiatives et de risques calculés ;
- il est capable de réinvestir et de généraliser ses habiletés et connaissances ;
- il reconnaît et accepte ses erreurs ;
- il est détendu durant les activités d'apprentissage.

▶ Quelles sont les attitudes parentales qui favorisent un sentiment de compétence?

Il existe toute une série d'attitudes que les parents peuvent adopter pour amener leur enfant à développer un sentiment de compétence:

- connaître les capacités et le niveau de développement de l'enfant;
- réactiver chez lui le souvenir de ses réussites passées;
- lui proposer des activités stimulantes qui sont sources de plaisir;
- l'informer de l'utilité des activités ou des apprentissages;
- lui proposer des objectifs réalistes ou conformes à ses capacités;
- favoriser son autonomie;
- encourager son sens des responsabilités;
- faire régulièrement des rétroactions et des objectivations pour amener l'enfant à prendre conscience des liens entre ses attitudes, ses stratégies et les résultats qu'il obtient;
- lui suggérer plusieurs stratégies et moyens d'apprentissage;
- l'aider à reconnaître, à dédramatiser et à accepter ses erreurs;
- l'aider à corriger ses erreurs;
- favoriser sa créativité;
- lui éviter le stress de la performance;

- accorder la première place à la démarche d'apprentissage ;
- souligner par des rétroactions positives ses bonnes stratégies et ses bonnes réponses ;
- respecter son rythme personnel d'apprentissage ;
- stimuler le développement de sa pensée.

▶ Les attentes des parents et des enseignants ne sont-elles pas parfois exagérées ?

Il est normal d'avoir des attentes face à un enfant afin d'éviter qu'il soit passif, dépendant et qu'il se dévalorise. Par exemple, si le parent se montre indifférent à ce que son enfant apprend ou s'il ne l'encourage pas à relever des défis, il lui donne l'impression d'être incompétent. Cependant, ces attentes doivent être réalistes, c'est-à-dire adaptées au rythme et au niveau de développement de l'enfant. Si tel n'est pas le cas, si les ambitions de l'adulte sont trop élevées, l'enfant risque fort de vivre du stress de performance et des échecs qui réduiront son estime de soi.

Les défis d'apprentissage qu'on propose à l'enfant doivent donc être conformes à ses capacités, ils doivent être adaptés à son niveau de développement et être en concordance avec son rythme de développement. L'enfant qui échoue parce que l'objectif fixé est trop élevé ou parce que la cadence d'apprentissage est trop rapide ne connaît pas le plaisir ; il est démotivé et dévalorisé.

Tout tient donc dans le dosage de l'objectif. Quand celui-ci est bien adapté aux capacités de l'enfant et que ce dernier utilise des stratégies efficaces, il peut surmonter des obstacles, apprendre de nouvelles choses et en retirer des sentiments d'efficacité et de valorisation. Par ailleurs, si on propose à un enfant une activité trop facile et qu'il juge répétitive, il en retire un sentiment d'ennui et une baisse d'estime de soi, car il déduit qu'on ne le juge pas assez compétent pour réaliser une tâche plus difficile. Au contraire, si on lui impose un objectif trop complexe et qu'il ne maîtrise pas les préalables et les capacités pour réussir l'activité, il vit un échec et un sentiment de dévalorisation, et conséquemment une baisse d'estime de soi.

Être un parent compétent

▶ Qu'entend-on par un sentiment de compétence parentale?

Le rôle parental est complexe et riche. Selon l'opinion populaire, un parent est capable de vivre une bonne relation avec son enfant, de bien répondre à ses besoins et de favoriser son développement dans des conditions convenables. Il faut donc avoir adopté les attitudes et les habiletés nécessaires pour répondre adéquatement aux besoins et au rythme de développement de l'enfant. En résumé, la compétence parentale se définit par l'habileté concrète du parent à répondre aux besoins de son enfant et à lui transmettre ses valeurs.

Il faut cependant distinguer la compétence propre-
ment dite du sentiment de cette compétence, c'est-à-
dire du jugement qu'un parent porte sur lui-même et
sur sa compétence parentale. À cet effet, soulignons
que certains parents adoptent des attitudes et des
moyens éducatifs bien adaptés aux besoins de leurs
enfants et que, malgré tout, ils se jugent peu compé-
tents. Il y a lieu de se demander si ces parents ne sont
pas trop exigeants envers eux-mêmes. Ils sous-estiment
leurs compétences, alors que d'autres, peut-être pour
bien paraître, surestiment leurs habiletés parentales
quand, dans les faits, leurs attitudes ne sont pas du tout
adéquates avec leur enfant.

Certains préalables sont essentiels pour acquérir une
compétence parentale : une maturité affective, un bon
fonctionnement intellectuel et des attentes réalistes par
rapport à son rôle parental. Un parent immature, trop
centré sur ses propres besoins et qui n'a pas appris à
contenir ses pulsions, a certainement de la difficulté à
reconnaître les besoins de son enfant et à avoir de
l'empathie pour lui. Le parent trop rigide ou limité
dans sa capacité d'introspection a beaucoup de difficulté
à s'adapter à la nouveauté et à ajuster ses attitudes.
Finalement, le parent qui a une conception trop idyl-
lique de l'enfance et qui a des attentes trop élevées par
rapport à son enfant risque de vivre des échecs et des
déceptions dans son rôle.

Deux attitudes fondamentales sont à l'origine du
sentiment de compétence parentale et de la compé-

tence réelle : la capacité d'attachement et l'empathie. L'attachement établit des liens indélébiles, viscéraux et inconditionnels entre le parent et l'enfant. L'empathie est également une attitude essentielle dans la réponse adéquate aux besoins de l'enfant et l'acquisition d'un sentiment de compétence parentale. Elle suppose de la part du parent d'être réellement disponible pour l'enfant, de se décentrer de soi pour décoder et comprendre ses besoins. Ainsi la relation d'attachement et l'empathie par rapport aux besoins des enfants sont des aliments essentiels à un bon développement.

▸ Qu'est-ce qui caractérise un parent compétent ?

Les principales caractéristiques d'un parent compétent, qui guide efficacement le développement de son enfant, sont les suivantes. Ce parent :

- adopte de saines habitudes de vie ;
- répond aux besoins de son enfant ;
- assure la sécurité physique de son enfant ;
- par sa présence, assure à l'enfant une stabilité dans le temps et dans l'espace ;
- est disponible pour son enfant ;
- est empathique face à son enfant ;
- favorise un attachement sécurisant ;
- stimule son enfant sur les plans corporel, sensoriel, intellectuel, social et moral ;

- respecte le rythme de développement de son enfant ;
- est ouvert à la communication avec son enfant ;
- tient compte, la plupart du temps, des idées et des opinions de son enfant ;
- propose des alternatives à son enfant ;
- établit des limites claires ;
- prend des décisions sans ambivalence sur ses valeurs ;
- est un modèle de valeurs intégrées ;
- est capable d'être ferme sur certains points importants, et souple sur d'autres ;
- aide l'enfant à assumer ses responsabilités ;
- évite les luttes de pouvoir ;
- favorise la curiosité de son enfant ;
- favorise la vie sociale de son enfant.

Le parent qui se reconnaît dans la majorité de ces caractéristiques est justifié d'avoir un bon sentiment de compétence parentale.

▶ L'estime de soi est-elle la solution à tous les problèmes ?

L'estime de soi ne se résume pas en une simple connaissance de ses forces, de ses qualités et de ses talents. Elle suppose aussi une juste perception de ses difficultés et de ses limites. Il est donc important que les adultes fassent prendre conscience à l'enfant de ses difficultés et les lui fassent voir comme des défis qu'il est capable de relever.

Il ne faut donc pas croire que l'estime de soi est la solution à tous les problèmes. Il faut combattre la pensée magique selon laquelle l'estime de soi est la clé de tous les comportements ainsi que l'opinion de certains qui affirment qu'il n'y a qu'à augmenter l'estime de soi des gens pour que tout aille bien dans le monde. Par contre, croire à l'importance de l'estime de soi, c'est avoir confiance en l'humain et en ses capacités évolutives, même dans les pires conditions.

L'estime de soi est le plus précieux héritage que les parents peuvent laisser à un enfant. Cet héritage n'est possible que grâce à la relation d'attachement et à des attitudes aimantes. L'enfant qui est sécurisé physiquement et psychologiquement, qui ressent un sentiment de confiance face à la vie, qui se connaît et se confère à lui-même une identité propre, qui ressent vivement un sentiment d'appartenance à sa famille et à un groupe, qui développe ses compétences et prend conscience de sa valeur personnelle, hérite d'un trésor dans lequel il pourra puiser toute sa vie pour affronter les difficultés. Cet héritage constitue le meilleur passeport qu'il puisse détenir pour s'épanouir pleinement et grandir constamment.

Saviez-vous que...

- Il y a six mots clés pour favoriser et développer l'estime de soi des enfants et des adolescents : plaisir, amour, sécurité, autonomie, fierté, espoir.

Pour en savoir plus...

DUCLOS, Germain. *L'estime de soi, un passeport pour la vie.* 2ᵉ éd. Montréal: Éditions du CHU Sainte-Justine, 2004.

DUCLOS, Germain, Danielle LAPORTE et Jacques ROSS. *L'estime de soi des adolescents.* Montréal: Éditions du CHU Sainte-Justine, 2002.

LAPORTE, Danielle. *Favoriser l'estime de soi des 0-6 ans.* Montréal: Éditions du CHU Sainte-Justine, 2002.

LAPORTE, Danielle et Lise SÉVIGNY. *L'estime de soi des 6-12 ans.* Montréal: Éditions du CHU Sainte-Justine, 2002.

RIGON, Emmanuelle. *Papa, maman, j'y arriverai jamais! Comment l'estime de soi vient à l'enfant.* Paris: Albin Michel, 2001.

THÉRIAULT, Chantal. *L'estime de soi en famille: guide d'activités pour les parents, les intervenants et les enfants.* Montréal: Quebecor, 2007.

LES ENFANTS

Antoine Dolbec Leclerc, en couverture
Félix Leclerc-Lamontagne, page 2
Olivia et Béatrice Ma, page 8
Sophie Alchourron, page 16
Julien, Laurent et Philippe St-Vil, page 19
Emmanuel Lavoie, page 23
Zoé Blanchette, page 32
Trisan Bilodeau, page 48
Sébastien Lavoie, page 59

DANS LA MÊME COLLECTION

Que savoir sur la sexualité de mon enfant?
Frédérique Saint-Pierre et Marie-France Viau

Que savoir sur le développement de mon enfant?
Francine Ferland

Que savoir sur mon ado?
Céline Boisvert

Achevé d'imprimer en juillet 2008
sur les presses de l'imprimerie
LithoChic inc.
à Québec